20 ENTERTAINING FRENCH SHORT STORIES

FOR BEGINNERS AND INTERMEDIATE LEARNERS

Learn French With Stories

French Short Stories Book 2

(French Edition)

Christian Stahl

Details of all the author's available books and upcoming titles can be found at:

www.shortstoriesforbeginners.com

For more entertaining short stories including audio see this book which you can find this book on your favorite book platform or our website:

www.shortstoriesforbeginners.com

Contents

Reading entertaining short stories to improve your French is an easy way to improve your language skills. This book contains a selection of 20 French short stories all prepared specifically for beginners and so-called advanced beginners. At the end of each story you find learning questions so you can get a grasp of the story. The book starts with easy to understand stories and gradually progresses with stories which are more advanced in terms of comprehension and vocabulary. The aim of this book is to teach different topics, words and phrases associated with them in a short amount of time.

ADVANCE WITH EACH STORY

Each of the short stories take about 2 minutes to read and average about 80 to 350 words. Important words and phrases relevant to each topic were selected carefully. The vocabulary gets slightly more complex as you advance reading the stories and the last stories contain most of the previously mentioned vocabulary.

The content is intended mainly for elementary to intermediate level learners, but it will be useful for more advanced learners. The short stories have been arranged according to their degree of difficulty.

After reading each story, try to answer the questions and reread the story once more. When you have finished with all the stories it is advisable to repeat reading them until you get a complete understanding of the story.

Vocabulary will be introduced at a reasonable pace, so you're not overwhelmed with difficult words and much of the vocabulary will be repeated in the exercise section. Some stories are focused on dialogue. These stories contain naturally spoken dialogue, so you can learn conversational French as you read. However, it is more important to finish reading the story without stopping than to understand each and every word. The simple truth is that you won't get everything your first time around which is completely normal.

1. AirBnB, l'ombre mystérieuse et un révolver

Anna adore AirBnB. C'est déjà la troisième fois qu'elle passe des vacances dans un appartement AirBnB dans la ville Nice. Anna a loué un grand appartement pour un mois complet, le propriétaire passe le plus clair de son temps dans sa chambre à regarder la télévision. Un jour, alors qu'Anna revient à l'appartement, la télévision dans la chambre du propriétaire retentit à plein volume.

Anna frappe à la porte mais personne ne répond. Elle ouvre la porte, entre dans la pièce et hurle. Anna regarde le vieil homme assis sur le fauteuil. Ses yeux et sa bouche sont grand ouverts. Sa tête est couverte de sang. Il a un revolver dans sa main, on lui a tiré dessus.

Pour la police il s'agit clairement d'un suicide et le corps est vite évacué. Anna ne pouvait pas rentrer chez elle parce qu'elle ne pouvait pas changer son vol et elle décida donc de finir ses vacances dans cet appartement. Mais rien n'est comme avant. Anna n'arrive pas à dormir la nuit. Pour trouver le sommeil, Anna fume un joint avant d'aller au lit. Une nuit elle se réveille et voit une grosse ombre s'approcher de son lit. Anna ne peut ni bouger ni crier. L'ombre s'approche et s'allonge sur elle.

Obscurité. Soudain, la lumière du soleil perce à travers la fenêtre. Anna se réveille et se sent mal. Elle est déprimée. Etait-ce un cauchemar ? Elle voit quelque chose de sombre sur la table de nuit. Anna le prend et c'est plutôt lourd. Maintenant elle le reconnaît. C'est le revolver du vieil homme.

Learning questions

a. Why does Anna want to stay in an AirBnb?

b. What does the owner do most of the time?

c. What does Anna do to find sleep?

2. Le trésor dans les bois

Pierre est quelqu'un de romantique. Même quand il avait 18 ans à cette époque, il était plus intéressé par les livres d'histoires que par les filles, à part ses amies et camarades de classe.

Quand il ne dormait pas ou n'était pas occupé par ses devoirs, il s'assoupissait sur le canapé et rêvait d'avoir un jour beaucoup d'argent.

Un jour il s'endormit sur le canapé. Il eut un rêve vivant.

Il rêva qu'il avait trouvé un trésor sur une île. Quand il ouvrit le coffre, un petit nuage de fumée en sortit. La fumée prit la forme d'une bouche et une voix dit « lève-toi, va à la forêt, tu trouveras une carte. La carte sera enterrée sous un vieux pin. Creuse un trou où tu vois un peu de fumée. C'est une carte au trésor. Tu peux être riche si tu trouves la carte.

La fumée s'approcha de son visage et Pierre ne pouvait plus respirer, il crut qu'il allait s'étouffer.

Pierre se souvint que c'était dimanche et qu'il devait déjà être l'après-midi.

C'était déjà l'automne, du brouillard couvrait le paysage. Derrière la maison commençait un chemin qui menait directement à la forêt. Il suivi le chemin et ne fit même

pas cent mètre puisqu'il avait déjà vu le pin et qu'il pouvait très bien voir de la fumée blanche monter au ciel.
Pierre creusa et trouva un petit tube et, à l'intérieur, il trouva un papier enroulé.

Ça ressemblait à une carte de Bouddhiste ou à un parchemin. Il le roula et rentra chez lui. Le jour suivant après l'école il alla directement dans un magasin où l'on pouvait vendre de l'or et des objets de valeur.

Il ne toucha pas d'argent pour la carte. Pierre rentra chez lui, s'allongea sur le canapé et s'endormit. Il rêva qu'il n'allait plus jamais avoir besoin d'argent. Lorsqu'il se réveilla, il regarda la carte et sourit. La carte et le trésor ne lui importaient plus.

Learning questions:

a. What is Pierre dreaming about?
b. How does the map in the tube look like?
c. What does he dream after he´d found the map

3. Comment trouver un millionnaire sur un bateau de croisière

Je m'appelle Brigit et tout commence demain. Préparer ses valises n'est pas un jeu d'enfant et, même si j'ai commencé il y a des semaines, j'ai du mal à garder les idées claires. Je dois savoir ce que je peux emmener avec moi et ce que je dois laisser à la maison. Je viens juste de lire que je ne peux prendre ni bouteilles, ni produits alimentaires.

La croisière commence en Italie. Il n'y a pas de vraie croisière commençant en France sauf les croisières fluviale sur le Seine ou le Rhin mais elles sont réservées aux retraités. Mes vacances sur le bateau commenceront demain soir.

C'est un énorme vaisseau avec plusieurs piscines et beaucoup de restaurants. L'idée de partir en vacances en croisière m'est venue en revoyant une vieille amie. Elle avait déjà affiché sur Facebook la nouvelle qu'elle avait trouvé l'homme de ses rêves.

La vie peut être belle. Après dix ans de rencontres en ligne, mon amie en surpoids a enfin trouvé un petit copain. Il doit être riche, maintenant que je sais combien une croisière coûte. Mon voyage m'avait coûté plus de cinq milles euros mais le voyage de mon amie a dû être encore plus cher. Mes pensées vacillent entre préparer mes valises et les hommes sophistiqués, cocktails et produits de beauté. Ils vaut mieux en avoir beaucoup.

Heureusement, les tampons et shampoings ne pèsent pas lourd. J'entends la sonnette. Qui cela peut-il être ? Je n'ai pas le temps !

« Bonjour Andrea, quelle surprise ! »

« Bonjour Brigit, je voulais juste te dire bonjour avant que tu ne partes en croisière demain. Laisse-moi te présenter mon fiancé. Voilà Bobo, de Manille. »

« Ravie de vous rencontrer. »

« Salut ! »

« Est-ce qu'il parle anglais aussi ? »

« Il parle très bien anglais. Après tout, il a travaillé sur le bateau de croisière où je l'ai rencontré. Il était serveur là-bas. C'est un homme très capable ! »

Learning questions:

a. Where does the cruise trip start?

b. What kind of cruise trips do you find often on rivers in France?

d. Where does Bobo come from?

4. Au Pair en Angleterre

Les parents de Nicole sont français et voulaient le meilleur pour elle. Ils voulaient l'envoyer en Angleterre pour qu'elle apprenne l'anglais. Une agence avait trouvé un logement pour Nicole chez une famille anglaise.
Les parents avaient payé très cher pour un séjour d'un mois mais ça n'avait pas d'importance puisque l'éducation de leur fille passait avant tout. Nicole avait hâte parce qu'elle n'était jamais sortie du pays et qu'elle adorait apprendre les langues étrangères.
Nicole partit en Angleterre en août.
Cependant, quand Nicole arriva elle eut une mauvaise surprise. Elle n'avait pas le droit de téléphoner et la maison n'avait pas internet. C'est pourquoi Nicole devait aller à la poste pour envoyer un message à ses parents.
Elle était rentrée en France avant que ses parents puissent le recevoir. Ils étaient très heureux de revoir leur fille, bien sûr et voulaient savoir si elle parlait à présent couramment anglais.
La fille expliqua. « Non, je n'ai pas appris l'anglais parce que la famille d'accueil parlait plus hindou qu'anglais. Ils venaient d'Inde. »
« Ça veut dire que le voyage était en vain », dit sa mère.
« Non, pas du tout, répondit la fille, maintenant je sais ce que le poisson Masala est. »

Learning questions:

a. How long does Nicole want to stay in England?

b. Why are her parents worried?

c. What did she actually learn in England

5. Une carte postale du Costa Rica

Mme. Duval a engagé des travailleurs pour réparer son chauffage. Elle vit seule et elle est contente de voir les hommes enfin arriver vers midi. L'équipe est seulement constituée du patron et son apprenti. Les hommes commencent à travailler et trouve une valve cassée. Le patron veut montrer la pièce cassée à Mme Duval elle lui expliquer de nouvelles choses mais elle lui fait la surprise d'amener des shots de Tequila pour faire une pause.

Elle lève son verre. « Messieurs, avant de continuer, buvez un verre. » Après 5 minutes, Mme Duval revient et insiste pour qu'ils boivent un autre verre. Les hommes obéissent et boivent. Le patron finit par demander à son apprenti d'aller chercher une nouvelle pièce au bureau. Quand, une heure plus tard, l'apprenti revient à la maison de Mme. Duval personne ne répond. Le lendemain le patron n'est pas au bureau. Le patron a disparu ! Environ une semaine plus tard le courrier arrive au bureau, incluant une carte postale de leur patron. La carte postale vient du Costa Rica et le patron annonce à ses employés qu'il est en lune de miel avec Mme. Duval.

Learning questions:

a. What does Mme. Duval offer the workers?

b. What happens when the worker came back to the house?

6. Une étoile Michelin n'est pas assez

Les deux frères, Marc et Michael sont des restaurateurs doués, formés dans une école gastronomique en Suisse. Ils ont tous les deux déjà travaillé dans des restaurants français établis et se sont aussi construits une bonne réputation.

Il y a dix ans, ils ont ouvert leur restaurant à Londres. Dès le début, le restaurant a eu du succès et il ne fallut que quelques années avant que le restaurant ne reçoive sa première étoile Michelin. Le restaurant devient célèbre et à peine deux ans plus tard le restaurant reçoit sa deuxième étoile Michelin.

L'année dernière, les frères ont ouvert un deuxième restaurant dans une autre partie de la ville.

Il y a quelques mois le gros choc arriva. Les frères apprirent que leur premier restaurant n'avait reçu qu'une étoile Michelin, la deuxième avait été refusée pour des raisons inconnues.

Un ami qui travaillait pour un magazine de restauration expliqua aux frères qu'ils avaient une étoile de moins parce qu'ils transportaient leur soupe d'un restaurant à l'autre dans des sacs en plastiques.

Les frères étaient très contrariés. Tout ce qu'ils pouvaient faire était d'essayer d'améliorer l'entreprise et de faire aussi de la nouvelle publicité. Mais d'une façon ou d'une autre, la nouvelle qu'ils transportaient leur soupe à l'extérieur dans des sacs avait atteint le public.

Un jour, ils virent soudain une grosse amélioration dans leur entreprise. Plus de commandes arrivaient qu'auparavant, les clients venaient pour commander à emporter. Il semblait que chaque jour il y avait plus de demandes pour la soupe.

La soupe semblait être le plat le plus vendu. Les frères sont convaincus que des nouvelles négatives sur le restaurant peuvent être bonnes pour l'entreprise.

Learning questions:

a. Where did the brothers opened their first restaurant?

b. What was the reason they received one Michelin star less?

c. What dish did the customers order a lot?

7. Nourriture végétalienne

Maria sait qu'elle doit faire un régime. Elle a lu beaucoup de livres de cuisines de régime et elle fait des exercices d'étirement le matin. Elle a aussi étudié et expérimenté des recettes diététiques, mais beaucoup de recettes contiennent de la viande, ce que Maria essaie d'éviter. Cependant, cuisiner prend beaucoup de temps et aussi souvent que possible, elle essaie de trouver un restaurant bon pour la santé parce qu'elle ne veut pas cuisiner tous les jours. Une bonne amie lui a parlé d'un bon restaurant végétarien. Maria essaie le restaurant et trouve les plats absolument délicieux. La plupart des plats sont végétariens et certains sont même seulement végétaliens. Très vite, Maria est devenue une habituée. Son plat préféré est la soupe de légumes qui n'est pas censée avoir de viande du tout. Un jour elle demande au chef pourquoi la soupe est si délicieuse car elle veut connaitre le secret. Le chef lui répond.

Learning questions:

a. Why does Maria want to be on a diet?

b. What is her favorite dish?

c. What is the secret ingredient of the dish?

9. L'ermite

Certains dissent que Michael est un ermite mais ce n'est que partiellement vrai.

La vérité est qu'il vit isolé en Andalousie près de la ville de Grenade. Un ermite a souvent peu de choses matérielles et c'est aussi vrai pour Michael. Il n'a pas l'électricité mais il peut quand même cuisiner puisqu'il a un réchaud et qu'il a connecté un générateur devant sa maison.

Il y a assez d'eau. Derrière sa propriété l'eau coule pratiquement du toit et longe le mur avant de disparaitre dans le sol. A part ça, il est bien équipé. Il a un grand lit et des toilettes de camping faits maison.

Une fois par semaine il va à Grenade en vélo où il va faire ses courses dans un supermarché. Michael a un rêve. Il veut des toilettes modernes et surtout, une vraie fenêtre fermée à vue panoramique. Le problème est que sa propriété a plusieurs autres petites entrée et, à l'avant de la maison, une grande entrée de plus de cinq mètres de large. L'entrée est en réalité ouverte la plupart du temps parce qu'il n'a pas de porte à la bonne taille et les pans en plastique n'aident pas lorsqu'il fait froid dehors.

Mais la vue depuis son énorme entrée est fantastique. Michael vit entouré de montagnes et bois et d'ici il peut voir une grande vallée et des montagnes à l'opposé. La vue inspire Michael. Un jour il voudrait devenir architecte et si ça ne fonctionne pas peut-être auteur ou artiste.

Un autre problème est qu'aucune porte ou fenêtre ne correspond à la taille et forme de son énorme entrée. Des amis lui disent qu'il est impossible d'installer une fenêtre à vue panoramique car Michael habite dans une grotte où les ours et les hommes de Néandertal vivaient.

Learning questions:

a. What does Michael have connected to his house to get electricity?

b. What is Michael's dream?

c. Why wouldn't a panorama window fit into his dwelling?

10. Le fromage pue de tous les côtés

Harold Johnson était tombé amoureux. Il avait une nouvelle petite-amie depuis quelques semaines, une femme qu'il avait rencontrée à la bibliothèque et qui lui avait dit qu'elle travaillait au marché fermier sur un stand de fromages.

M. Johnson avait beaucoup de temps libre l'après-midi, et il en passait la majorité à la bibliothèque.

M. Johnson et la femme avaient un passe-temps en commun. Ils aimaient tous les deux lire des classiques de littérature et des livres de cuisine à la bibliothèque. Un jour, M. Johnson invita la femme à venir boire un verre de vin chez lui. C'est comme ça qu'ils se sont mis en couple. Mais la relation n'était pas sans problème. M. Johnson n'aimait pas l'odeur de la femme. Il lui dit franchement qu'il trouvait qu'elle sentait le fromage. M. Johnson avait l'impression qu'à chaque fois que la femme venait chez lui, la maison toute entière finissait pas sentir le fromage.

Elle expliqua que l'odeur devait venir d'autre part. Elle finit par lui dire que quand ils s'étaient rencontrés elle avait dû lui dire qu'elle avait une sorte de travail parce qu'elle avait honte d'être au chômage. M. Johnson était heureux d'entendre ça, donc il dit à la femme qu'il n'était pas retraité, comme il lui avait dit.

M. Johnson ne comprenait toujours pas pourquoi elle sentait toujours le fromage.

« Donc, quel est ton vrai travail ? » il lui demanda

« Je n'ai pas de travail mais je donne des massages de pieds » elle dit.

« Ça explique l'odeur. » M. Johnson répondit.

« Et que fais-tu dans la vie ? » demanda la femme.

« Je travaille dans une ferme avec les cochons, mais, heureusement, que le matin.

Learning questions:

a. Where did M. Johnson meet his girlfriend?

b. Why does M. Johnson complain about his girlfriend?

c. What is M. Johnson's profession?

11. Une visite d'Amérique

Berta et Willi sont retraités, ils viennent de Hambourg mais passent la plupart de leur temps en Bavière, un état du sud de l'Allemagne. Ils ont acheté une maison de campagne dans un village il y a des années.

Le couple vient de familles modestes. Willi avait travaillé en tant que conducteur de bus et Berta, sa femme, travaillait dans un supermarché.

Un après-midi, quelqu'un sonne à la porte.

Willi ouvre la porte et se retrouve face à un homme et deux enfants. Des étrangers.

« Oui ? »

L'homme répond dans une langue qu'il ne comprend pas. Willi appelle sa femme. Berta accueille les gens qui continuent de parler avec enthousiasme mais Berta et Willi n'en comprennent pas un mot.

« Je pense qu'ils parlent anglais » dit Berta.

Les enfants font non de la tête mais semblent, d'une certaine façon, encouragés à continuer de parler.

Soudain, l'homme met la main dans sa poche et en sort une photo en noir et blanc. Il la montre à Berta et Willi. Willi met ses lunettes et hoche gentiment la tête.

La famille s'excite et les enfants embrassent Willi.

Ils parlent leur propre langue et ont l'air heureux. L'homme montre du doigt la pendule à coucou puis se montre lui.

Berta souri. « Il a l'air d'avoir la même. »

Les enfants vont dans la cuisine et ouvrent le frigo.

Berta et Willi les suivent.

« Vous avez faim ? » demande Berta

« Aujourd'hui nous avons de la choucroute avec des saucisses. Je vais les réchauffer pour vous. »

Les enfants embrassent Berta et l'étranger serre la main de Willi. A table ils mangent et rient et, soudain, Willi comprend quelques mots.

« Amérique, grand-père. » Willi et Berta sont d'accord mais tous les étrangers parlent en même temps.

Tout à coup, La famille se lève et dit au revoir à Berta et à Willi. L'étranger donne une photo à Willi.

Willi fait gentiment oui de la tête. La famille part enfin. Willi regarde la photo de nouveau. « Ça devait être l'ancien propriétaire quand il était petit. »

« Oui, mais qui étaient ces gens ? »

Learning questions:

a. Which languages can Willi speak?

b. What are the children doing when they enter the kitchen?

c. What was the reason the strangers came to the house?

12. Alcooliques

De nos jours, beaucoup de gens boivent trop d'alcool. Il y a des millions d'alcooliques dans le monde. C'est pourquoi beaucoup de gens meurent de maladies liées à l'alcool comme la cirrhose. Cependant, il semble que tout le monde boive de l'alcool d'une façon ou d'une autre.

C'est socialement acceptable, alors la question est : à quel point l'alcool peut-il vraiment être dangereux ? La plupart des médecins et experts sont d'accord pour dire que c'est la quantité quotidienne qui fait le plus de différences. Trop d'alcool peut endommager beaucoup d'organes, surtout le cerveau, l'estomac et les intestins. Il y a aussi beaucoup de raisons qui font que quelqu'un devient alcoolique. Les psychologues se sont rendus compte que les raisons principales pour lesquelles quelqu'un prend une bouteille sont la solitude et la frustration. Vaincre une addiction peut être très difficile mais pas non plus impossible. La plupart des alcooliques peuvent se traiter eux-mêmes, simplement en réduisant les quantités ou en changeant leur comportement, mais un médecin peut aussi aider avec une thérapie. Le soutien des amis et de la famille peut aussi jouer un rôle spécial.

Learning questions:

a. Why should people quit drinking?

b. Who can help when somebody has become an alcoholic?

c. Why do many people become alcoholics?

13. Coupé le cordon du câble

Au fil des années, le prix de l'abonnement pour le câble est plus devenu un poids qu'un plaisir. Nous ne sommes pas riches et devons en réalité attentivement compter chaque dollar que nous dépensons. Un des luxes les moins nécessaires que l'on s'offre est le câble. Nos enfants adorent et mon mari regarde les chaines de sports et d'informations tout le temps.

Cependant, notre facture mensuelle s'approche dangereusement des 200 Euros, quelque chose que l'on ne peut plus ignorer. Puisque personne dans la famille ne connait vraiment les technologies, j'ai dû faire mes propres recherches. Regarder la télé en streaming semblait faire l'affaire. J'ai convaincu mon mari d'acheter une télé intelligente et un appareil appelé Roku. Depuis cela, nous regardons tous la télé sur des chaines de streaming telles que Sling, PlayStation, Vue et autres. Nous économisons ainsi beaucoup d'argent.

Bien sûr, rien n'est gratuit dans la vie. Nous devons payer les chaines chaque mois mais elles sont beaucoup moins chères que le câble. Ce qu'il faut en retenir est que cette technologie relativement nouvelle est moins chère et nous ne sommes plus bombardés par les publicités.

Learning questions:

a. What is the name of the new device?

b. Why do many people quit cable tv?

c. How does the new technique work?

14. Les étrangers en Grande-Bretagne

En général, en Angleterre, il y a beaucoup de monuments et destinations touristiques à visiter. Les villes les plus visitées par les étrangers sont probablement Londres, Brighton et Yorkshire, tandis que le monument le plus visité de Grande-Bretagne est probablement Stonehenge.

La plupart des visiteurs étrangers veulent aller à Londres parce qu'il y a des centaines d'endroits célèbres à voir. Westminster Abbey, Big Ben, le Buckingham Palace, Piccadilly Circus et le British Museum sont même probablement les endroits les plus visités au monde. Londres reçoit plus de dix-neuf millions de visiteurs par an et puisque la livre est rapidement tombée ces dernières années, le Royaume-Uni continuera à être une destination très populaire.

La raison principale qui fait que les étrangers aiment la Grande-Bretagne est sûrement sa culture, par exemple le thé, la culture du pub, la reine mais aussi son Histoire qui semble être partout et connectée à l'ensemble de la culture.

Learning questions:

a. Why are so many people interested in traveling to the UK?

b. What are the most popular cities?

c. What is part of the British culture?

15. Le guide touristique

Carlos est né et a grandi à Veracruz, au Mexique mais il vit dans le New Jersey depuis plus de dix ans. Depuis qu'il a eu un accident et que personne ne peut s'occuper de lui, il a décidé de retourner dans son pays et de vivre là-bas avec sa famille. Il est maintenant guide touristique principalement pour les américains à Cancun. Quand les bateaux de croisière arrivent, il y a des milliers de touristes anglophones qui veulent non seulement voir les plages et les restaurants, mais ont aussi hâte d'explorer la campagne et de voir ce que la culture alentour a à offrir.

Carlos accepte les visites de groupe tout comme les touristes individuels. Ses services ont du succès et il s'est fait un nom en tant que guide connaisseur, en réunissant une petite communauté de fans sur différentes plateformes de voyages en ligne. Les visites commencent en général le matin et durent jusqu'en fin d'après-midi. Beaucoup de touristes se demandent comment Carlos fait pour parler anglais sans accent. Il leur en dit un peu plus sur lui mais ça mène généralement à des questions plus intimes. Carlos en est conscient ; pour chaque question, il a préparé une réponse parfaite. C'est quelque chose qu'il a appris aux Etats-Unis.

Learning questions:

a. Where does Carlos work?

b. Why does Carlos speak English well?

c. What else did he learn in the US?

16. Direction l'aéroport

Mes vacances commencent aujourd'hui et je vais prendre l'avion pour aller voir ma famille. A onze heures un taxi me prend pour m'emmener à l'aéroport. Le voyage en taxi dure environ une heure et me coûte à peu près soixante dollars. Une fois arrivée, j'ai encore assez de temps avant le départ de mon vol. J'ai déjà préparé ma valise. Faire ses valises n'est pas un jeu d'enfant, tout doit être planifié et considéré. Si j'oublie quelque chose, je devrais sûrement l'acheter moi-même quand j'arriverai à destination.

Il est déjà onze heures moins une et je deviens impatiente. Enfin, le taxi arrive. Le conducteur m'aide à porter ma valise de la maison jusqu'au taxi. Je m'assois à l'arrière et regarde le compteur augmenter d'un dollar tous les cent mètres environ. Parfois les prix sont fixes, mais pas avec cette compagnie. Je pense que c'est différent pour chaque ville et état. Enfin, quand nous arrivons je donne un pourboire au conducteur puisqu'il n'a pas fait de détour inutile.

Learning questions:

a. What is she traveling?

b. Why is she impatient?

c. Why is she worried as she sits in a taxi?

17. Arrêter

Le mois prochain, Sammy aura trente ans. Le problème est que Sammy fume des cigarettes depuis plus de dix ans. Il a essayé tout un tas de méthode et d'astuces pour arrêter de fumer. Rien n'a marché et il sait qu'il a besoin d'un traitement. Par chance, il a trouvé quelques petites îles habitées appartenant aux Etats-Unis, en dessous de la frontière canadienne. Il n'y a pas de ferry public et ça lui semble être l'endroit idéal pour arrêter de fumer. Une semaine plus tard, Sammy est déjà sur l'île. Il compte rester une semaine, le temps que la nicotine s'évacue de son corps.

En arrivant il jette son dernier paquet dans un buisson. Après trois jours, Sammy est presque mort d'ennui. Curieusement, il trouve une bouteille de whisky dans les buissons. Il n'a rien d'autre à faire que de boire le whisky. Soudain, il entend de la musique ! Après avoir cherché la source, il trouve un homme devant une grotte écoutant de la musique et fumant un cigare.

« Que faites-vous ici ? » demande Sammy.

Le vieil homme est surpris aussi.

« Je suis ici pour arrêter l'alcool, et vous ? »

« J'essaie d'arrêter de fumer. C'est votre bouteille de whisky ? »

« Oui. Et j'imagine que c'est votre paquet de tabac ? »

Sammy hoche la tête, il se sent pris de vertiges.
« Ecoutez, est-ce-que vous pouvez me rendre mes cigarettes ? »

Bien sûr, si vous me donnez ma bouteille de whisky.

Finalement, les hommes se mettent d'accord et continuent à faire ce qu'ils faisaient avant.

Learning questions:

a. Why does Sammy want to travel to an island?

b. Who does he meet there?

c. What kind of deal does Sammy make?

18. Nager

Nous sommes un groupe de garçons avides de natation. La plupart d'entre nous avons douze ans et seul notre ami Peter a onze ans.

Chaque vendredi après-midi nous allons à la piscine municipale. D'abord nous devons aller aux vestiaires. Nous nous changeons en maillots de bain puis nous prenons une douche. Il faut prendre une douche avant et après avoir nagé, ce qui est obligatoire dans les piscines municipales.

Parfois prendre une douche est long parce que nous aimons faire des blagues et faire les idiots. Une fois dans la piscine, nous sautons de la planche et nageons. Nous commençons par faire 300 mètres de brasse et nous enchainons en général avec vingt minutes de nage libre. Vers la fin nous jouons au waterpolo. Au bord de la piscine, il y a toujours un maitre-nageur qui nous observe.

La semaine dernière, après avoir fini de nager nous n'avons pas pris de douche car un enfant inconnu avait laissé ses excréments dans la douche.

Learning questions:

a. What does everybody have to do before and after swimming?

b. What kind of game do they play after swimming?

c. Why do they skip the shower on that day?

19. Le marché fermier hebdomadaire

Ma famille adore acheter des produits frais de producteurs locaux. C'est pourquoi nous allons tous au marché fermier. Mon mari est un chef amateur et n'achète les légumes qu'au marché. Notre stand préféré est au bout du marché là où nous pouvons aussi acheter des herbes fraiches.

« Bonjour Lisa et Harry, ça fait plaisir de vous revoir »

« Bonjour Bill ! Qu'est-ce-que vous avez de plus frais aujourd'hui ? »

« Harry, tu sais que tous mes produits sont frais. Tout vient d'arriver directement de l'éco ferme. »

« Donc, de tous les vendeurs du marché, vous êtes livrés en premier ? »

« C'est ça. Je suis à l'entrée du marché ici, c'est pour ça que mes tables passent en premier. »

« Ok Bill, on va donc prendre 2 kilos de tomates et 3 kilos de pommes de terre, et un bouquet de carottes s'il vous plait »

« Autre chose ? »

« Vendez-vous des figues ? »

« Elle ne poussent pas par ici. »

« Ok, combien est-ce-que je vous dois ?

« Ça fera six dollars au total »

Learning questions:

a. Why do Lisa and Harry go to the farmers market?

b. What do they buy there?

c. What other product is Harry asking for?

20. Nouveaux voisins

Depuis que j'ai emménagé dans mon nouvel appartement, j'ai aussi de nouveaux voisins. Une famille vit au-dessus et les enfants sont encore petits. Je les entends parfois jouer.

La nuit, les parents sont rarement là et les enfants crient souvent de façon étrange. Il y a également un jeune homme qui vit à côté de chez nous. Il est étudiant et vit seul, sauf qu'il a un chat dans son appartement. En général, quand on se croise dans les escaliers, il me dit bonjour.

La semaine prochaine nous avons tous ce qu'ils appellent une réunion de locataires où tous les locataires des appartements se rencontrent et discutent de problèmes divers. J'ai hâte d'aller à cette réunion parce que je vais avoir mon mot à dire sur ce qui va et ce qui ne va pas dans cet immeuble.

Learning questions:

a. Who lives next door to the family?

b. What does the man have in the house?

c. What is scheduled for next week?

21. Dialogue: Dîner à l'européenne

Contrairement aux Etats-Unis, dans beaucoup de pays européens, les clients peuvent simplement entrer dans un restaurant et s'installer là où ils en ont envie. Cependant, dans les grands restaurants, il n'y a la plupart du temps pas de menu sur la table, il faut donc en demander un au serveur. Les serveurs portent en général une chemise blanche et un pantalon noir. Ils ont aussi un carnet pour prendre les commandes.

Souvent, une conversation entre un serveur et un client se déroule ainsi :

Serveur : Bonsoir, avez-vous déjà fait votre choix ?

Client : Je vais prendre un schnitzel et une salade, numéro 5 sur le menu.

Serveur : Très bien, que voudriez-vous boire ?

Client : Juste une eau minérale.

Serveur : plate ou pétillante ?

Client : Plate, avec peu de gaz.

Serveur : Vous désirez donc un schnitzel, une salade et une eau plate avec peu de gaz, c'est correct ?

Le client hoche la tête.

A la fin du repas, le client demande « La note s'il vous plait. »

Les pourboires ne sont jamais obligatoires et, dans la plupart des pays, ne sont pas inclus dans la note.

Learning questions:

a. What is different in European restaurants?

b. What do they order?

c. What do European waiters often wear?

FRENCH SHORT STORIES FOR INTERMEDIATE STUDENTS

Au chômage

Laura se retrouve de nouveau sans emploi. Ces trois dernières années elle a travaillé en tant que comptable mais l'entreprise vient de faire faillite. L'entreprise où elle était avant a sous-traité toute la comptabilité à une entreprise en Inde. Dans les dix dernière années, Laura a alterné entre emploi et chômage, avec parfois plusieurs mois sans emploi entre les deux. Malgré tout, Laura se considère comme une personne fiable, ponctuelle et digne de confiance et avec un peu de chance, elle se dit qu'elle trouvera un autre emploi bientôt. Chaque jour elle cherche des annonces de postes sur les sites de recrutement et aussi dans les journaux locaux. Elle envoie son CV à toutes les entreprises auxquelles elle peut penser en espérant trouver un travail parce que le chômage lui fait perdre ses économies. Un de ces principes les plus importants est de ne jamais abandonner. Le travail de ses rêves reste celui de comptable mais elle sait que les temps ont changé. Elle est flexible parce que travailler en tant que secrétaire lui irait bien aussi.

Un livre célèbre

Pendant environ un an j'ai lu un livre fascinant écrit par un auteur célèbre. Le livre est un roman et parle d'un homme qui va à la pêche sur l'océan. Il doit se battre contre un gros poisson puissant et à la fin l'homme gagne cette bataille. Cependant, le livre a une signification plus profonde. L'auteur est Ernest Hemingway, qui a écrit le roman *Le vieil homme et la mer* en 1951 à Cuba. Ce travail est considéré comme un des meilleurs dans le monde de la littérature. Il a gagné le prix Nobel de littérature. Je suis complètement fascinée par ce livre et j'aimerais lire d'autres romans de cet auteur. Je pense aussi qu'un bon livre est beaucoup mieux qu'un film.

Médias sociaux

Je m'appelle Nicole. La chose la plus importante pour moi est d'être et de me sentir en bonne santé. Être belle fait aussi partie de mon travail. Il y a quelques années, j'ai créé une entreprise en ligne où je vends des cosmétiques et des parfums. Pour élargir mon entreprise, j'utilise différentes plateformes de média sociaux pour diffuser des messages, tels que Twitter ou Facebook. De plus, j'utilise des médias sociaux visuels puissants. Mes préférés sont Instagram et Pinterest. J'essaie de répandre l'idée de comment les femmes peuvent rester jeunes et belles.

Curieusement, j'ai beaucoup de nouveaux amis virtuels et il semble que tout le monde veuille entrer en contact avec moi. Au final, beaucoup de clients deviennent des amis ou des partenaires professionnels. Je n'ai jamais regretté de ne pas être retournée à mon ancien travail en tant que commise aux ventes. Ma vie, mes amis et mon argent viennent de mon entreprise en ligne.

Un coup de main

Steven a quinze ans. De lundi à vendredi il va à l'école et vers une heure il prend le bus pour rentrer chez lui. En général, le bus est rempli d'autres élèves. Parfois, des personnes âgées prennent le bus aussi puisque beaucoup d'entre elles sont trop vielles pour prendre la voiture. Steven est un garçon gentil et plein de compassion. S'il voit une personne âgée dans le bus, il lui offre son siège car ça peut être très difficile pour elles de rester debout dans un véhicule en mouvement. A la station de bus il y a un passage piéton. Il y a un nouveau système où il faut appuyer sur un bouton pour que le feu passe au vert. Beaucoup de personnes âgées ont des difficultés avec ça et Steven n'hésite jamais à les aider à traverser la rue. Steven a déjà une idée de ce qu'il veut faire plus tard ; il pense que ça pourrait être très enrichissant de devenir aide à domicile.

Gentillesse

Steven est un mordu de cinéma. Aujourd'hui c'est vendredi et il a prévu d'aller au cinéma ce soir pour aller voir un film qui vient de sortir.
Steven arrive au cinéma en avance mais il y a déjà une longue queue devant la caisse. Curieusement, il y a aussi beaucoup de personnes âgées qui attendent en ligne. C'est probablement parce que les week-ends on passe aussi quelques classiques. Même si le film que Steven veut voir commence dans quelques minutes, il propose à un couple de personnes âgées de passer devant lui. Il comprend qu'il peut être difficile pour eux de faire la queue, surtout parce qu'il pleut.
Steven est encore dans la queue quand il voit un papier par terre. Il regarde de plus près et se rend compte que c'est en réalité un billet de vingt dollars. Il ramasse le billet et se demande si quelqu'un devant lui l'a fait tomber. Le couple âgé le regarde. Soudain ils s'approchent. « C'est peut-être nous qui avons fait

tomber l’argent par accident. Mais vous êtes si gentil que vous pouvez tout garder. »

Un nouveau monde Partie 1

Retour de l'espace

Jusqu'à maintenant, Ben Iglesias n'a jamais été capable de l'expliquer. Que s'était-il passé ? Sa vie n'était pas pire qu'avant. Mais le problème était qu'il n'arrivait pas à se débarrasser de l'idée qu'il n'avait pas sa place ici. Mais ce n'était plus important.

Tout a commencé avec le retour du vol de Mars à la Terre, un voyage prévu depuis longtemps. C'était le premier voyage de son équipe de quatre personnes. Pour lui, c'était déjà le cinquième.
Quand ils entrèrent dans l'orbite de la Terre une lumière scintillante apparut, des signaux d'alarme provenaient de partout. Puis il perdit conscience.

Un nouveau monde   Partie 2

La planète changée

Lorsqu'il se réveilla son équipe était morte et le vaisseau spatial fonctionnait sur électricité d'urgence mais le plus étrange était que le vaisseau avait déjà atterri et que tous les instruments étaient cassés.
Il était impossible de savoir combien de temps il s'était écoulé depuis l'accident. La météo, les coordonnées et les informations du vaisseau ne pouvaient pas être corrects. Mais surtout, il n'y avait aucun contact avec la base. Tout semblait mort.
Ben regarda par la fenêtre quelques secondes. Où était la mer des Caraïbes ? Il aurait dû être à Cuba mais sous le vaisseau tout était jaune et marron.
Ben sorti du vaisseau et vit un désert blanc qui s'étendait jusqu'à l'horizon. Il faisait très chaud et l'atmosphère ne contenait que 60% d'oxygène.
Soudain, il n'en croyait pas ses yeux. Lentement mais sûrement, un groupe d'humains s'approchait. Ils l'encerclèrent sans rien dire. Ben n'avait pas peur parce

qu'ils n'avaient pas l'air agressifs mais complètement différents.
Les gens étaient petits. Il y avait des femmes et quelques autres et ils semblaient tous… brûlés ? Etaient-ils des Aborigènes d'Australie ? Il y avait une ressemblance mais ils étaient très maigres, presque comme des squelettes et pas plus grands que des enfants. Ils donnèrent de l'eau à Ben et lui firent signe de suivre le groupe. Après une longue marche, ils arrivèrent dans une vallée de rochers couverte de trous qui étaient des entrées de grottes géantes et sombres. Le son de l'eau provenait de quelque part en dessous.
C'était la première impression de Ben. Combien de temps avait-il vécu là ? Ben estimait avoir vécu avec ces créatures pendant déjà trois ans. Au départ la langue avait été le plus difficile à assimiler. Maintenant ils étaient devenus comme sa famille. Sa femme faisait quatre têtes de moins que lui, mais ça fonctionnait. Elle lui souriait toujours. La vie n'avait plus d'importance. Ben se sentait bien. Sa femme avait les yeux d'un chat noir et riait de plus en plus chaque jour, elle était tombée enceinte.

La commande

Un couple de l'Ohio est en vacances à Miami. Ils sont assis dans un restaurant de bord de mer et sont prêts à commander. Enfin, le serveur arrive, leur donne deux menus et disparait. Le couple regarde le menu et n'est pas impressionné. L'homme voit du Ketchup séché sur son menu et le secoue par dégoût. Le serveur prend son temps pour servir d'autres clients puis revient avec deux verres et de l'eau. Il tient les verres du bout des doigts, les pose sur la table et disparait à nouveau. La femme dit à son mari « Je peux voir ses empreintes sur les verres. C'est dégoûtant. Tu peux demander au serveur qu'il nous en amène deux autres verres ? »

« Pour ça ils nous feront payer un spplément. Mais j'ai une idée, je crois qu'on a encore des bouteilles d'eau dans ma voiture, je vais aller les chercher. »

« Bonne idée. Prend aussi une serviette et du savon pour qu'on puisse nettoyer la table. »

Contrôle de billets

Je me souviens avoir passé du temps en Allemagne quand j'étais enfant. Je suis même allé à l'école là-bas. Dans ce pays, les trains occupent une grande partie des transports dans la journée. Nous étions un groupe de quatre enfants. C'était un hiver neigeux. Irma faisait partie des plus jeunes, elle n'avait qu'onze ans. Nous prîmes le train de Munich vers une plus petite ville. C'était un joli train moderne, nous avions même notre propre compartiment. Quelqu'un frappa à la porte. C'était le contrôleur qui voulait vérifier nos billets. Il vérifia nos billets un par un, tandis qu'Irma cherchait nerveusement dans son sac, elle ne trouvait pas son ticket. Le contrôleur lui demanda sa pièce d'identité et lui dit de le suivre. Le train était alors arrêté dans une petite ville. Nous attendions qu'Irma revienne mais rien ne se passait. Soudain, le train recommença à avancer et nous vîmes par la fenêtre Irma seule debout sur le quai, effrayée. Elle avait l'air différente. Puis nous remarquâmes qu'elle n'avait pas sa veste ! Elle l'avait laissé sur son siège et apparemment le contrôleur l'avait fait sortir du train et l'avait laissée pratiquement morte de froid sur le quai.

Bus et trains

Marco et Jane sont frères et sœurs. Chaque week-end, ils partent rendre visite à leur grand-mère le matin. Leur grand-mère vit dans une ville lointaine. Puisqu'ils n'ont pas de voiture, ils doivent prendre les transports en commun, surtout le train et le bus. D'abord ils doivent prendre un train pour aller jusqu'à la grande ville la plus proche. Là-bas, à la gare, ils doivent prendre le métro pour traverser la ville. Ensuite, quand ils sont enfin arrivés à la dernière station, à l'extérieur de la ville, il faut qu'ils prennent le bus vers leur destination finale, un village dans la campagne. Le trajet prend au total environ une demi-journée et ils arrivent en général juste avant le repas de midi. Après s'être reposés pendant une heure à peu près, ils doivent repartir en ville, prendre les trains pour arriver chez eux au moment du souper. Ils veulent tous les deux faire des économies pour pouvoir acheter une voiture, car un trajet en voiture ne prendrait qu'une heure.

Préparatifs

Je m'appelle Nico et vendredi prochain je vais fêter mon anniversaire dans mon nouvel appartement. Je vais avoir 30 ans. Le matin ma famille passera me voir. Mes parents viendront avec mes frères et sœurs et mes grands-parents. Le soir je retrouverai tous mes amis puisqu'ils ont tous reçu une invitation. En fait, je les ai aussi invités à diner. Ma mère va m'aider parce que je ne suis pas un très bon cuisinier. Elle fera du poulet ou une autre viande et, mais surtout, elle a promis d'amener un gros gâteau. On doit mettre trente bougies sur le gâteau ! Je pense que ce sera un gâteau fait spécialement par une boulangerie qui fait aussi des gâteaux artistiques. J'ai entendu dire qu'ils n'acceptaient pas tous les clients, ce qui me fait sourire. Enfin bref, cet anniversaire va être très important pour moi.

Apprendre en groupe

Je m'appelle Sofia. J'habite au Texas depuis environ trois ans. Je suis venue ici depuis le Honduras avec toute ma famille. Mon beau-frère habite ici depuis des années et travaille pour le gouvernement, c'est pourquoi ma famille a pu immigrer aux Etats-Unis. Il y a de la violence dans mon pays mais non voulions surtout nous installer en Amérique du Nord parce que les salaires sont beaucoup plus hauts et la vie est plus facile, en général. J'essaie d'améliorer mon anglais en allant dans une école de langues. Parfois je ne comprends pas tout ce qui est dit. Alors je demande au professeur « Pouvez-vous parler plus doucement s'il vous plait ? » En fait, mon anglais s'est beaucoup amélioré depuis que j'étudie en groupe. C'est plus agréable et stimulant d'apprendre en petit groupe. Je suis heureuse d'avoir l'opportunité d'apprendre l'anglais dans un pays ou ce n'est parfois même pas nécessaire.

Gros prêteur, gros dépenseur

Après le travail je vais parfois au pub. Je commande en général une grande bière et, si j'ai de la chance, je regarde un match de football. La plupart de ceux qui vont au pub sont des habitués et j'en connais même certains personnellement. Pour moi c'est toujours fascinant d'en apprendre plus sur leurs origines. Il y a un client qui, je pense, vient tous les jours depuis des années. Il aime parler de lui-même, car c'est un riche homme d'affaires. Un jour il me demande un service. Il me demande si je peux lui prêter 50 livres. En général, je ne suis pas quelqu'un qui prête de l'argent facilement. Mais bon, il me dit qu'il me le rendra le lendemain, donc je lui donne l'argent. Le lendemain il arrive au pub et me rend mon argent sans faire d'histoire. Une semaine plus tard le client me redemande de l'argent. Donc je lui donne de l'argent puisque je m'attends à ce qu'il me le rende le lendemain, comme la fois d'avant. Bizarrement, le lendemain l'homme ne vient pas. Je demande au barman et à d'autres clients s'ils ont vu l'homme. Je suis abasourdi quand je me rends compte que la veille l'homme avait emprunté de l'argent à beaucoup de personnes, parfois des centaines de livres. Nous lui avions donné parce qu'il nous avait remboursés la fois d'avant. Cependant, nous ne le revîmes jamais.

Aventure au spa   Partie 1

Après le travail

M. Schmidt est un homme d'affaires. Il est propriétaire d'un petit restaurant dans une gare où il vend des fish and chips.

Il a beaucoup de client habitués parce que la plupart de ses clients aiment ses plats.

Après le travail il va souvent au spa pour se calmer et se détendre.

Il y a un moment, M. Schmidt est retourné au sauna.

C'est en fait un spa avec sauna à vapeur, bains turques comme on peut en trouver dans toutes les grandes villes.

Ils ont plusieurs saunas et une piscine. Ce jour-là, la température du sauna herbal est particulièrement haute.

M. Schmidt était déjà assis, transpirant, sur le banc quand la porte s'ouvrit.

Un homme entra. M. Schmidt le reconnu immédiatement. C'était un client.

Cependant, il n'aimait pas ce client. Ce dernier l'avait un jour dénoncé parce qu'il pensait que son restaurant était sale.

L'autre homme reconnu aussi M. Schmidt.

Il sourit : « Bonsoir M. Schmidt, comment allez-vous ? »

« Tout va bien, merci. » répondit M. Schmidt.

« Transpirer nettoie le corps » dit l'homme

M. Schmidt en avait assez pour la journée et quitta le sauna.

Aventure au spa   Partie 2

La serviette

Il partit prendre une douche. Cette fois M. Schmidt prit une longue douche parce que l'homme l'avait énervé. Après sa douche, M. Schmidt alla dans les vestiaires, une grande salle avec beaucoup de casiers. Les serviettes étaient pendues à un crochet. M. Schmidt quitta lentement le sauna.

Le client qu'il avait vu au sauna était dehors vers la porte.

L'homme regarda M. Schmidt et sourit « Excusez-moi, M. Schmidt, vous avez pris et utilisé ma serviette ! »

« M. Schmidt fit non de la tête. « Non, je ne pense pas, non. »

« S'il-vous-plait, regardez dans votre sac. » dit l'homme.

M. Schmidt ouvrit son sac et en sortit la serviette.

L'autre homme souriait toujours. « Regardez, là dans le coin, j'ai écrit des lettres au stylo noir »

« A.H. » demanda M. Schmidt.

« C’est moi. » dit l’homme.

M. Schmidt lui rendit la serviette. Il ne retourna jamais au sauna.

Chauffeur de taxi

Steve Jones est un chauffeur de taxi. Il travaille d'ailleurs beaucoup. Il conduit son taxi pendant au moins douze heures par jour. Le dimanche est le seul jour où il ne travaille pas. Même si ce travail est très demandeur, il rencontre beaucoup de gens différents. Beaucoup de passagers aiment discuter avec lui. De plus, il conduit une limousine, ce qui rend le travail plus supportable. Beaucoup de clients lui laissent un pourboire généreux. Il ne peut pas se plaindre de l'argent. Pourtant, il voudrait faire autre chose plus tard. Steve a beaucoup pensé à ce qu'il pourrait faire à l'avenir. L'autre jour il se sentait inspiré. Maintenant, il a plutôt une bonne idée de ce qu'il va faire après avoir démissionné. Il a eu l'inspiration après avoir regardé le film « Taxi Driver » avec Robert De Niro.

Le marchand d'art

Dans le temps, Werner Schultz était comédien au théâtre. Il était connu à Berlin et avait aussi réussi à avoir un rôle important dans une série télévisée, où il jouait un criminel crédible.
M. Schultz n'a apparemment jamais été pauvre et a toujours été intéressé par l'art et les objets antiques.
Il a maintenant plus de cinquante ans et il reçoit moins d'offres de film ou de théâtre. M. Schultz est devenu plutôt connu en tant qu'artiste peintre.
On peut dire que M. Schultz est un véritable artiste et un connaisseur parce qu'il est très cultivé, surtout en ce qui concerne les tableaux antiques. Il s'y connait bien en peintres impressionnistes du 19ème siècle. Après de nombreuses d'année en tant que comédien, artiste et expert peintre, M. Schultz était le bienvenu dans beaucoup de magasins et galeries. M. Schultz avait acheté beaucoup de peintures à l'huile de valeur et des objets antiques chez les antiquaires et galeries d'art.

Mais sa réputation de bon fournisseur était encore meilleure. La qualité de ses tableaux et la marchandise qu'il vendait était de très haute gamme.
Un jour, un journal publia que le marchand d'art et célèbre acteur, M. Schultz, était mort. Personne ne savait qu'il était mort puisque M. Schultz n'avait pas de famille, c'est pourquoi les journalistes cherchaient des amis ou de la famille.
Récemment, les journalistes ont trouvé ce qu'ils cherchaient. M. Schultz était un parent éloigné d'Hermann Göring.

Notre hôtel

Nous venons juste d'arriver à notre hôtel. Cette année nous allons passer nos vacances en Espagne. Nous avons réservé un hôtel tout-compris et l'enregistrement était très facile. L'aimable réceptionniste nous a donné la clé de la chambre après que nous ayons payé une caution. Nous venons d'Angleterre. D'abord, il nous a semblé que l'hôtel était de très haut standing. Les chambres étaient spacieuses et tout avait l'air génial. Le lendemain a commencé à être différent. Nous avons découvert de gros cafards dans la salle-de-bain et les placards étaient sales. Nous avons pris une assurance de voyage mais malheureusement elle ne couvrait pas les chambres sales. Mon mari a eu une idée. Il a pris des photos des cafards et des placards. Dans une pharmacie pas loin, nous avons demandé des médicaments contre la diarrhée. J'ai immédiatement contacté l'assurance et leur ai dit que nous étions tous tombé malade à cause des chambres sales. Je leur ai envoyé une photo des médicaments et le reçu. Quelques semaines plus tard l'assurance nous avait remboursé notre voyage.

Soirée barbecue   Partie 1

Notre accord

Marco et Paula ont des enfants qui vivent encore chez eux mais le couple s'est séparé il y a peu de temps. Heureusement, Marco a encore un petit appartement en ville et a laissé la maison à Paula et aux enfants. Les parents de Paula ont déjà quatre-vingt ans et vont célébrer leurs noces d'argent ce week-end.
C'est un bel après-midi d'été et le père de Paula, Alberto, a une idée. Pourquoi ne pas organiser un barbecue dans le jardin de Marco. Des amis, les enfants et autres membres de la famille,tous viendraient. De plus, Alberto a toujours aimé Marco. Après tout, ils sont tous les deux chasseurs dans un club de chasse. Séparation ou non, ça serait une soirée barbecue géniale. Alberto appelle sa fille et s'attend à une promesse pour le week-end. Cela demande beaucoup de conviction à Paula pour que Marco accepte qu'elle soit responsable des grillades dans son propre jardin.

Marco accepte. Le moment est arrivé le samedi après-midi. On met le grill en route pendant que les enfants jouent et que les adultes boivent des bières.

Soirée barbecue Partie 2

Le cadeau

De la musique retentit d'une vieille stéréo. Alberto aide Marco avec le grill même si c'est ça lui est difficile et qu'il a oublié ses lunettes. Soudain, il revient à l'esprit de Marco qu'il a un cadeau pour Alberto. C'est un couteau de chasse avec un man che en corne !
Marco explique que c'est un couteau très spécial de la marque traditionnelle espagnole Muele. Un couteau pour les collectionneurs ! La belle soirée touche à sa fin.
Marco est sur le point de partir quand Paula l'embrasse et lui dit qu'elle veut lui parler le lendemain. Le dimanche, Marco et Paula se retrouvent. Elle lui est extrêmement reconnaissante pour la superbe soirée barbecue.
Ils discutent et Marco lui dit que tout n'était pas mauvais dans leur relation. Paula fait une proposition à Marco.
Pour le bien des enfants, ils pourraient vivre de nouveau ensemble.

En effet, une semaine plus tard, la famille emménage de nouveau ensemble. Marco est très heureux, surtout parce que le couteau pas cher qu'il a acheté pendant son voyage en solitaire en Thaïlande n'a pas manqué de faire son effet.

Gagner à la loterie

Mon père et moi avons entendu dire que mon oncle avait gagné à la loterie. Le jeu s'appelle six sur quarante-neuf, ce qui veut dire que mon oncle a dû deviner six nombres corrects. Nous pensons tous que mon oncle est devenu millionnaire. Mais mon père m'a dit qu'il doit encore 2000 $ à notre famille. Nous avons décidé d'aller rendre visite à mon oncle. Quand il ouvre la porte il sent l'alcool. Il nous dit qu'il n'a jamais gagné à la loterie mais qu'il s'en est vanté dans un bar. Il voulait juste frimer : Mon père lui réclame quand-même son argent. Après une longue conversation, mon oncle donne sa voiture à mon père. Ainsi, il a payé ses dettes.

Au cinéma

Ce week-end, un film vraiment intéressant passe au cinéma. C'est censé être un film romantique. C'est pourquoi j'ai invité une voisine à m'accompagner parce qu'elle aussi aime les films romantiques. Nous achetons du popcorn et nous asseyons au premier rang. Le film a en réalité beaucoup de scènes romantiques, dont certaines plutôt fortes. La femme pose sa tête sur mon épaule. Je prends sa main et la met sur mes genoux. Soudain, la femme s'énerve, se lève et sort du cinéma. Je souris et regarde le reste du film. Pour moi, ça a été une soirée charmante.

La candidature

Le mois dernier j'ai perdu mon travail parce que je me suis disputée avec mon patron. Je suis juste partie du bureau et je suis rentrée chez moi. Désespérée de trouver un travail je suis allée dans une agence de recrutement. Ils me disent que je suis qualifiée pour beaucoup de postes. Je suis d'accord parce que je me considère honnête, dédiée et une travailleuse assidue.
Chaque jour, j'envoie de nouvelles candidature et j'en envoie beaucoup par la poste traditionnelle pour sortir du lot auprès d'employeurs potentiels. Cependant, la plupart des entreprises ne répondent même pas. Hier j'ai reçu une lettre. L'en-tête m'était familièr. Quand j'ai regardé qui l'avait envoyée je n'en croyais pas mes yeux. Mon ancienne entreprise avait renvoyé mon vieux patron et me proposait le même poste que j'avais auparavant.

Une simple salade

Lisa travail dans un restaurant gastronomique à Londres. Elle n'a commencé il y a que deux semaines. Le plus souvent elle travaille en cuisine mais quand le restaurant est plein, elle aide aussi au service. Le chef est connu et célèbre et aujourd'hui il travaillera en cuisine lui-même. Le service du soir a commencé et les premières commandes arrivent. Le chef crie à Lisa : « J'ai besoin d'une simple salade, Lisa ! »

Lisa commence immédiatement à y travailler. Elle coupe d'abord la laitue puis la mélange avec des rondelles de concombre. Elle hache aussi des tomates en quatre, coupe un oignon et quelques olives qu'elle met dans la salade. A la fin elle mélange les ingrédients avec de l'huile d'olive, du vinaigre, du sel et du poivre. « La salade est prête ! » crie Lisa.

Le chef regarde l'assiette, abasourdi. « C'est ce que tu appelles une simple salade ?

Evacuation

Nous sommes des retraités vivant dans une maison de retraite. Il y a eu une tempête à l'automne dernier. La tempête n'était que le début. Après des jours de déluge, toute la ville était inondée. Il finit par y avoir une coupure de courant. Le chauffage, l'électricité et même le téléphone ne marchait plus. D'abord nous l'avons pris à la rigolade mais la nuit devint très froide, la température descendant en dessous de zéro. Il fallut attendre trois jours avant que les bus arrivent. Ils devaient nous évacuer. A notre surprise, les bus ne vinrent pas nous prendre. A la place, ils s'arrêtèrent à côté où il y avait un hôtel de luxe. On nous dit qu'ils passaient en premier parce qu'ils pouvaient payer beaucoup d'argent pour affréter les bus. On ne pouvait pas rivaliser avec les tarifs. Quand ils partirent, les clients nous firent des clins d'œil par les fenêtres. Nous restâmes dans la maison de retraite et, heureusement, après quelques jours les voisins et autre particuliers nous évacuèrent un par un.

Travailleurs

Je travaillais avant sur un chantier et me décrétais maçon. A l'époque, je devais porter beaucoup de lourds matériaux, souvent des briques ou du ciment. Parfois je devais aussi nettoyer le ?? à la main avec un balai. Un jour, une petite fille m'approcha et me demanda pourquoi je transpirais autant. Je lui répondis « C'est parce que je dois travailler aussi dur. » Mais elle continua en me demandant pourquoi je ne faisais pas autre chose. Je répondis
« Parce que je ne suis qualifié que pour faire des travaux. » Soudain, mon patron me cria dessus.
« Qu'est-ce que tu fais ? Je te paie pour travailler pas pour rester planter là. »
Je répondis : « La jeune fille me posait juste une question innocente. »
« Qu'est-ce qu'elle t'a demandé ? »
« Pourquoi je transpirais autant. »
« Assez, il dit. Ce n'est pas une garderie ici. Bouge-toi. »
Le lendemain je ne suis pas retourné au travail. J'ai essayé de trouver autre chose. Je finis par trouver un

emploi bien payé à nettoyer les égouts. Ce nouveau travail avait un avantage, au moins je ne transpirais plus autant.

Un mariage heureux

Je m'appelle Berta. Je suis mariée avec Helmut depuis huit ans. C'est un homme d'affaires prospère et je travaille à domicile. Nous n'avons pas d'enfant mais nous faisons beaucoup de choses ensemble. Mon mari est très romantique et prend bien soin de moi. Malgré tout nous avons nos différences. Mon mari aime le sport et va régulièrement à la salle de sport. Moi, au contraire, j'aime me lever tard et regarder la télé. Malheureusement, je suis en surpoids et j'ai promis à mon mari de commencer un régime. Récemment, il est rentré tôt et m'a surprise au sous-sol où je me permettais de manger des sucreries.

Nouvelles chaussures

Aujourd'hui Gilbert va aller acheter de nouvelles chaussures. Dans un magasin de chaussures il demande au vendeur s'ils ont aussi des chaussures de travail. Le vendeur répond qu'ils ont en réalité des chaussures de travail en soldes pour un prix spécial. Gilbert voit une paire de chaussures particulièrement jolies sur l'étagère. Il demande s'ils les ont à sa taille. Le vendeur répond « Désolé, je n'ai que ça et il n'y a pas de garantie pour les chaussures en soldes. Gilbert regarde le prix et achète les chaussures pour un besoin spécifique. Le lendemain Gilbert porte ses nouvelles chaussures. Pourtant, il rentre le soir en boitant parce que l'un de ses talons est blessé. Sa femme lui demande : « Pourquoi as-tu acheté des chaussures trop petites pour toi ? »
Gilbert répond : « Une seule des deux était trop petite, c'est pour ça que c'était si bon marché. »

Adieu les kilos

Maria a récemment pris du poids. Chaque matin elle se pèse et hier elle a atteint les 90 kilos, presque tout pile. Elle a un peu honte d'elle-même, surtout parce que tout le monde dans sa famille est plutôt mince. Pour Noël elle s'attend à ce que toute sa famille vienne la voir. En fait, ses parents et frères et sœurs s'inquiètent de son problème de poids. Maria leur a dit de ne pas s'inquiéter parce qu'elle travaille sur un plan de régime dont une bonne amie lui a parlé. En gros, son régime consiste en de nouvelles recettes de cuisine. Sa famille l'encourage à s'en tenir constamment au régime. Quand Noël arrive enfin elle a une dispute avec ses parents. Ils l'accusent de ne pas faire le régime correctement parce qu'ils n'arrivent pas à dire si elle a perdu ou gagné du poids. Environ un mois plus tard, Maria envoie des photos d'elle à sa famille. Les photos montrent ses pieds sur la balance. Etonnamment, elle ne pèse plus que 55 kilos. Toute sa famille la félicite du merveilleux travail qu'elle a fait. Mais Maria a un secret. Pour prendre la photo elle a manipulé la balance et l’a fait descendre de quelques kilos.

A la boulangerie

Je commence à travailler dans quinze minutes. Avant d'aller au travail, j'aime m'arrêter dans une boulangerie locale pour m'acheter un sandwich. J'ouvre la porte et il y a déjà une longue queue. Il y a au moins huit personnes devant moi. Ils achètent de tout, des gâteaux au pain français. Je dois être au bureau dans moins de dix minutes. Puis mon tour arrive. Soudain, un homme passe devant moi. Je lui dis : « Excusez-moi, pourriez-vous rester dans la queue s'il-vous-plait ?! »

Le vieil homme et les vendeurs m'ignorent. Le vieil homme est en train de discuter et il veut acheter quelque chose qui est long à emballer. Je sens la colère monter. J'attrape un gâteau et le lance à la figure d'un vendeur. Il tombe alors que tout le monde crie et court vers la sortie. Je suis alors seule. Je prends mon sandwich et pars.

Financement participatif pour une nouvelle cuisine

Melinda est une jeune fille de Californie. Cela faisait des années qu'elle prévoyait de changer de cuisine. Le problème était qu'elle vivait encore dans la maison de ses parents, simplement dans le grenier.
Il y avait une petite kichenette, comme dans un hôtel, equipée d'un micro-onde, four et cafetière. Melinda avait toujours aimé fouiller dans les livres de cuisine et avait déjà télécharger des centaine de recettes sur online et, honnêtement, elle était bonne cuisinière. Ses parents n'étaient pas intéressés par les cuisines modernes. Mais pourquoi ? Ils mangeaient toujours des plats américains simples qui consistait en des frites, des pois, saucisses et des ingrédients grossiers.
Parce que Melinda avait déjà trente ans, sa famille s'attendait à ce qu'elle trouve enfin un partenaire, se marie et fonde une famille. Mais il y avait un problème pour Melinda. Elle n'avait pas de travail et le chômage rendait sa vie difficile, comme partout. Avec travail ou sans, elle avait besoin de cette cuisine.

Elle avait économisé six cents dollars. Il y avait à côté de chez elle un énorme magasin de fournitures pour la maison qui avait toujours des soldes sur les cuisines le lundi. Mais ce n'était pas tout. Les quincailleries et les supermarchés sont des endroits où l'on peut souvent rencontrer des voisins et des amis. Le lundi matin, Melinda se mit devant la grande entrée et attendit.

En effet, vingt minutes plus tard le premier voisin arriva. Melinda n'hésita pas. Elle dit à la femme qu'elle devait acheter une cocotte-minute de toute urgence parce que son ancienne était cassée et qu'elle avait besoin de trente dollars pour une nouvelle. Après un moment, la femme lui donna l'argent. Ça avait parfaitement marché.

Melinda vit une demi-douzaine de voisins et connaissances et, à midi, elle avait assez d'argent pour la nouvelle cuisine.

Dialogue - Ecole et nos projets pour l'avenir

Sabine va à l'école Son professeur voudrait savoir ce que les élèves veulent faire plus tard.

« quelle profession voudriez-vous exercer plus tard ? » Il demande.

Michael est le premier à lever la main. « Je voudrais être médecin pour pouvoir ouvrir des corps et voir ce qu'il y a à l'intérieur. »

Lukas hoche la tête et lève la main. « Je veux devenir policier pour pouvoir tirer sur les gens méchants. »

Nicole rigole quand elle enchaine : « Je voudrais être pilote comme ça je pourrai me sentir aussi libre qu'un oiseau. »

Finalement, c'est au tour de Sabrine. « Je veux être professeure. Je voudrais aider les élèves à prendre de bonnes décisions sur ce qu'ils veulent faire plus tard. »

93. La bonne

Maria vient de Pologne et travaille deux fois par semaine en tant que bonne dans une grande maison. La maison appartient à Mme. Le Clerc qui vit seule. De temps en temps son fils vient la voir. Son fils est sans emploi et il reçoit un peu d'argent de sa mère.
Le fils vit chez un ami. Il vient souvent chez sa mère le matin et regarde la télévision. S'il fait beau il s'assoit sur la terrasse et boit une bière. Maria doit emmener les bouteilles de bière vides au sous-sol. Au sous-sol, il y a énormément de boites où des bouteilles de bière pleines sont entreposées.
Mme. Le Clerc travaille très dur. Elle travaille dans une usine et revient chez elle très tard. Mais elle appelle souvent son fils et parfois Maria aussi. Un jour, le fils demande une faveur à Maria. « Je pars en voyage à l'étranger pendant quelques semaines. Mais ne le dis pas à ma mère, fait comme si tout était normal.

« Pas de problème » répond Maria.
Le lendemain tout semble normal. Mme. Le Clerc appelle Maria et demande si son fils est encore à la maison et si tout va bien.
« Oui, Mme Le Clerc, tout va bien. » Maria est assise sur la terrasse et boit une bière. Elle portera les bouteilles vides au sous-sol.

Mes passe-temps

Je m'appelle Miriam et j'ai beaucoup de passe-temps. La raison est simple, j'ai juste beaucoup de centres d'intérêt. Quand j'étais petite j'avais une grande collection de poupées mais maintenant mes intérêts ont changé. Maintenant je suis très intéressée par l'art. J'aime peindre et je suis tout particulièrement adepte des livres. Je lis d'ailleurs beaucoup de livres non romanesques, même des livres d'Histoire. J'aime aussi jouer au piano. La musique est un de mes passe-temps préférés. Avoir beaucoup de passe-temps différents est en fait une tradition dans ma famille. Ma sœur lit des livres de philosophie et tout le monde dans ma famille participe à des activités culturelles. A part la lecture et la musique, j'aime aussi jouer au tennis et, lors d'occasions spéciales comme les vacances, j'aime jouer au golf. Mes parents sont beaucoup plus intéressés par l'élevage d'animaux. Mon père est un expert en chien et en animaux exotiques. Quand j'ai le temps j'adore voyager. Cependant, je me considère plus comme une exploratrice que comme une touriste ordinaire. Avoir beaucoup de passe-temps et faire beaucoup de sport m'aide à garder mon corps et mon esprit actifs et m'aide aussi à avancer dans la vie.

***

For more entertaining short stories including audio see this book which you can find this book on your favorite book platform:

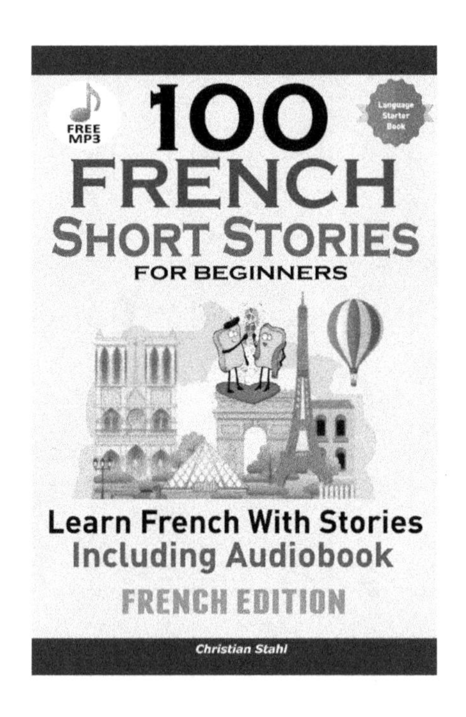

Christian Stahl

Details of all the author's available books and upcoming titles can be found at:

www.shortstoriesforbeginners.com

CPSIA information can be obtained
at www.ICGtesting.com
Printed in the USA
BVHW041211200721
612310BV00018B/343